KATIA CANTON

ilustrações
LAIS DIAS

carochinha

Impresso no Brasil

EDITORES Diego Rodrigues e Naiara Raggiotti

EQUIPE
ADMINISTRATIVO Arthur Souza, Rose Maliani e Thatiani Ribeiro
ARTE Clarissa Lorencette
COMERCIAL Dhébora Torquato e Diego Maciel
EDITORIAL Dafne Ramos e Karina Mota
MARKETING E COMUNICAÇÃO Catiane Santos e Fernando Mello
REVISÃO Dafne Ramos, Karina Mota e Naiá Diniz

Dados Internacionais de Catalogação na Publicação (CIP) de acordo com ISBD
Elaborado por Vagner Rodolfo da Silva - CRB-8/9410

C232t Canton, Katia

Teoria do chapéu / Katia Canton ; ilustrado por Lais Dias. – 2. ed. – São Paulo : Carochinha, 2018.
48 p. : il. ; 20,5cm x 27,5cm

ISBN: 978-85-9554-046-0

1. Literatura infantil. 2. Chapéu. I. Dias, Lais. II. Título.

CDD 028.5
2018-741 CDU 82-93

Índice para catálogo sistemático:

1. Literatura infantil 028.5
2. Literatura infantil 82-93

rua mirassol 189 vila clementino
04044-010 são paulo sp
11 3476 6616 : 11 3476 6636
www.carochinhaeditora.com.br
sac@carochinhaeditora.com.br

Curta a Carochinha no Facebook...

...e siga a Carochinha no Instagram!

KATIA CANTON
A teoria do chapéu
ilustrações
LAIS DIAS

Este livro
é dedicado ao
CHAPELEIRO
MALUCO

10/6

Você pode achar um pouco estranho, mas eu tenho uma teoria que considero infalível.

Descobri, observando a história da civilização humana, que todo gênio ou pessoa de grande destaque tinha um chapéu especial, que vestia nas horas em que precisava aquecer as ideias, proteger-se e potencializar suas habilidades.

Na verdade, acredito que o uso dos chapéus era responsável por boa parte do sucesso dessas pessoas extraordinárias.

ALBERT EINSTEIN

Veja bem, querido leitor: por que você acha que o grande cientista Albert Einstein (1879-1955), que mudou a história da Física no começo do século XX, sempre aparecia em público com os cabelos meio desarrumados? É porque ele tinha acabado de tirar o seu inseparável chapéu de inteligência!

Esse chapéu certamente o ajudou a elaborar as fórmulas matemáticas que o levaram a desenvolver uma das teorias mais importantes da Física moderna, tão importante que a usamos até hoje – a Teoria da Relatividade! É uma das ideias mais brilhantes de todos os tempos – e, com certeza, também uma das menos compreendidas.

$E = \frac{p^2}{2m}$
E photon
$\frac{d^2\psi}{dx^2}$
$|\psi(x,y,z)|^2 dv$
$\Delta x \cdot \Delta p \geq h$
$E =$
$R_{\mu\nu} - \frac{1}{2}$

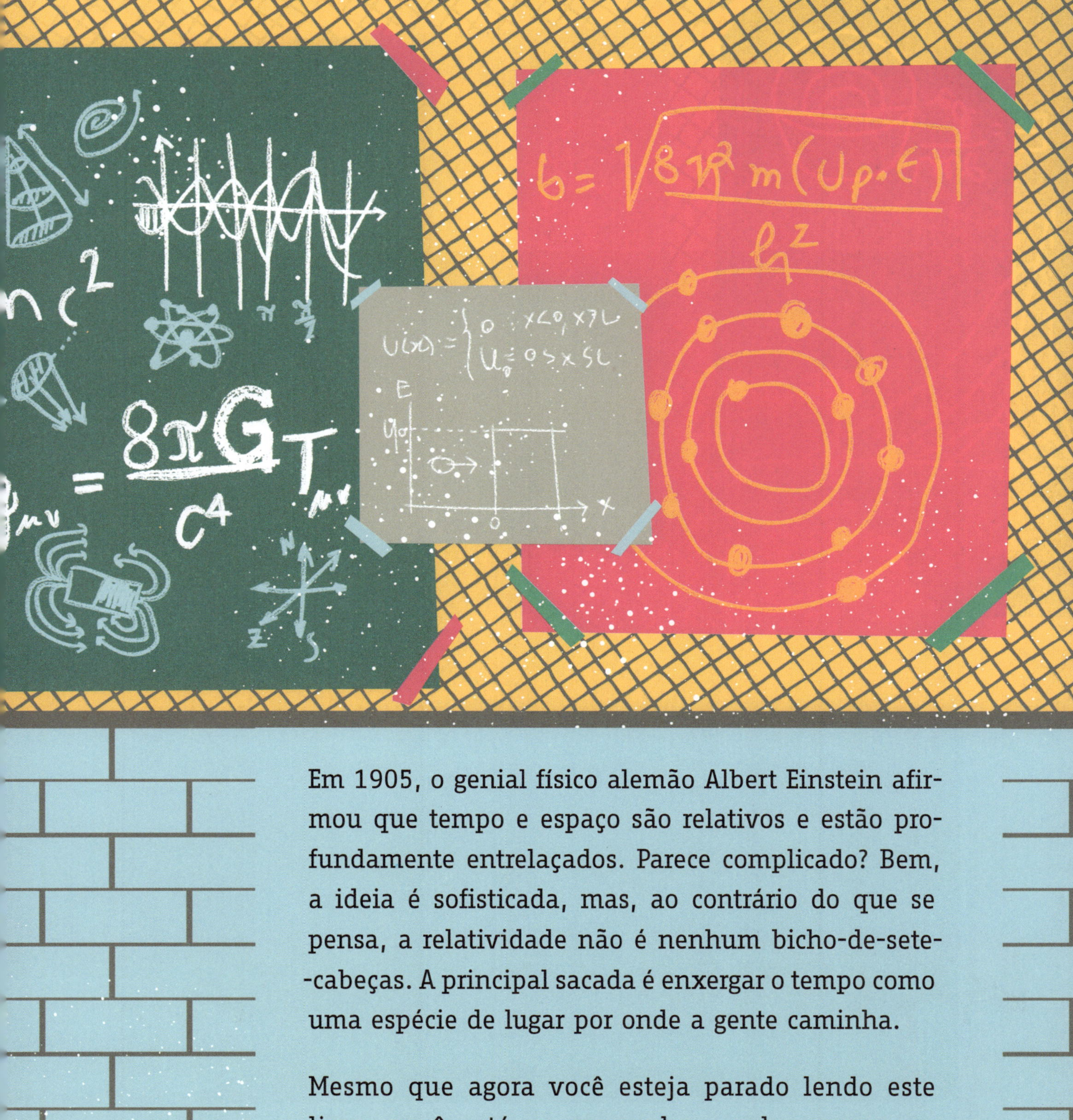

Em 1905, o genial físico alemão Albert Einstein afirmou que tempo e espaço são relativos e estão profundamente entrelaçados. Parece complicado? Bem, a ideia é sofisticada, mas, ao contrário do que se pensa, a relatividade não é nenhum bicho-de-sete-cabeças. A principal sacada é enxergar o tempo como uma espécie de lugar por onde a gente caminha.

Mesmo que agora você esteja parado lendo este livro, você está se movendo – pelo menos, na dimensão do tempo. Afinal, os segundos estão passando, e isso significa que você se desloca no tempo como se estivesse em um trem que corre para o futuro em um ritmo constante.

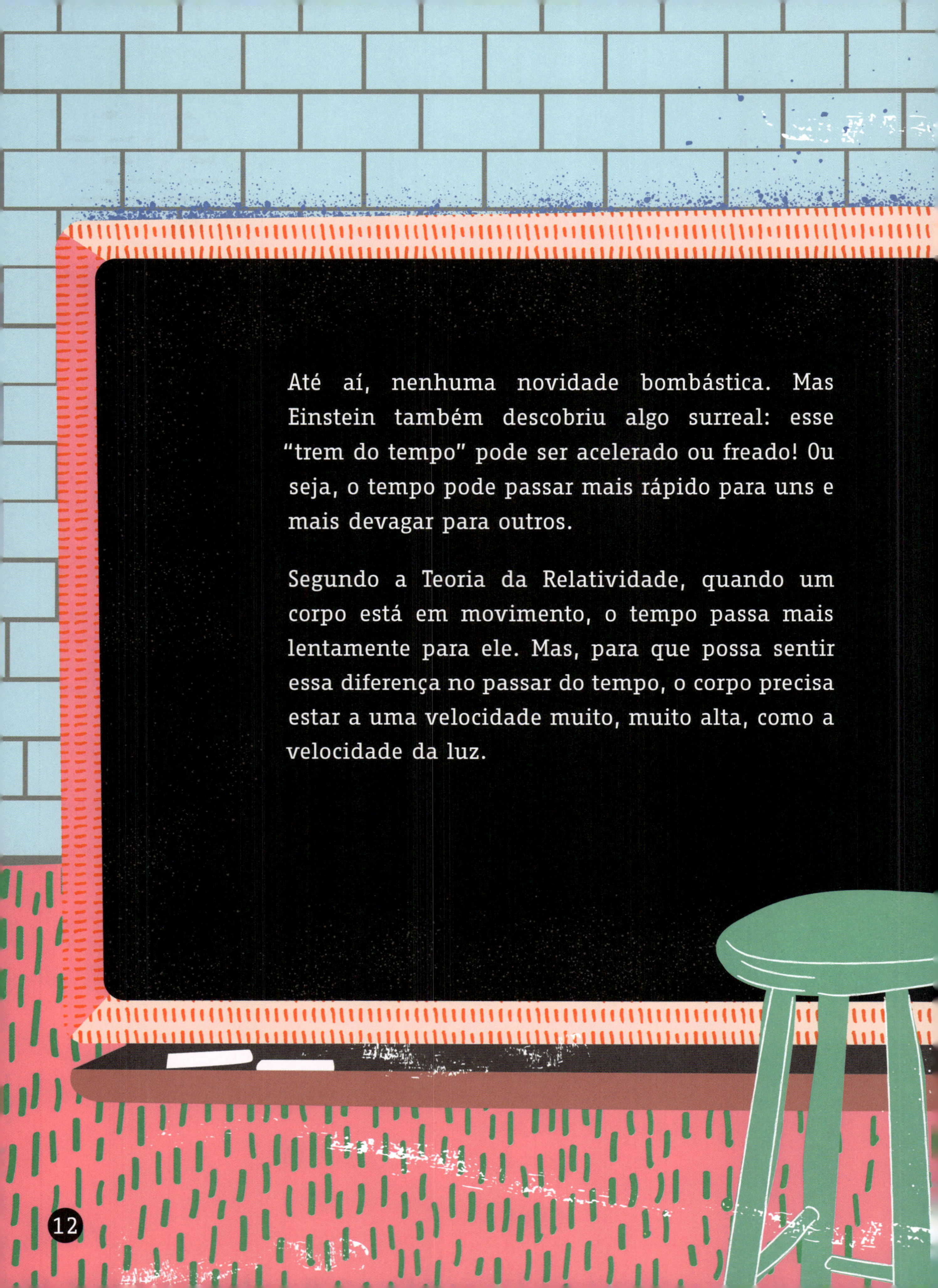

Até aí, nenhuma novidade bombástica. Mas Einstein também descobriu algo surreal: esse "trem do tempo" pode ser acelerado ou freado! Ou seja, o tempo pode passar mais rápido para uns e mais devagar para outros.

Segundo a Teoria da Relatividade, quando um corpo está em movimento, o tempo passa mais lentamente para ele. Mas, para que possa sentir essa diferença no passar do tempo, o corpo precisa estar a uma velocidade muito, muito alta, como a velocidade da luz.

Para ilustrar sua teoria, Einstein usou como exemplo dois irmãos gêmeos idênticos. Se um deles viajasse na velocidade da luz para uma estrela distante, enquanto seu irmão permanecesse na Terra, quando o primeiro voltasse da viagem, haveria uma enorme diferença de idade entre eles.

Essa teoria foi comprovada, não com pessoas, mas com partículas menores do que o átomo! Einstein era realmente uma pessoa genial.

Dizem que o chapéu de Einstein tinha um formato muito curioso, parecido com o de um sinal de interrogação, com linhas de energia saindo por todos os lados. Algo mais ou menos assim:

Há muitos outros personagens, homens e mulheres de todos os tipos e de todas as épocas, que usavam outros incríveis chapéus, responsáveis pelas grandes ideias que tiveram ou pelas grandes invenções que criaram. Eu acredito que tudo isso começou com o Chapeleiro Maluco.

Esse ser estranho, genial e surpreendente apareceu pela primeira vez na famosa história de *Alice no País das Maravilhas*. Mas tenho certeza de que ele habita a nossa imaginação há muitos e muitos milênios. Assim, desde sempre ele nos ajuda a criar os chapéus de que precisamos. Quem nunca pensou como um Chapeleiro Maluco? Bem, essa é a minha teoria...

Agora vamos continuar nossa jornada pelos chapéus mágicos.

CLEÓPATRA

Cleópatra, a mulher que governou o Antigo Egito (há mais de 2 mil anos!), usava um chapéu de abutre que afastava toda a inveja e lhe conferia um incrível poder energético, capaz de manter encantada qualquer pessoa que ousasse chegar perto dela.

Ela viveu entre 69 a.C. e 30 a.C., isto é, apenas 39 anos, mas ficou marcada para sempre como símbolo de força, de inteligência, de beleza e poder.

Só para se ter uma ideia, ela foi faraó (governante), destacando-se como grande negociante e estrategista. Falava vários idiomas, era ótima em matemática, filosofia, literatura e arte, e ainda sabia discursar como ninguém.

O indiano Mohandas Karamchand Gandhi, ou simplesmente Gandhi (1869-1948), costumava vestir um chapéu branco simbolizando a paz, feito de papel, como desses feitos com jornal dobrado. Era grandioso em sua própria simplicidade.

Foi com seu poderoso e austero chapéu que ele idealizou o *satyagraha* – termo que vem do sânscrito e signifca "a verdade e a não violência" – como forma de protesto. Sem guerras e revoluções armadas, Gandhi conseguiu libertar o povo indiano do domínio da Inglaterra.

uma curiosidade interessante é que, depois de Gandhi, outros importantes humanistas e ativistas pelos direitos humanos, como Martin Luther King Jr. (1929-1968) e Nelson Mandela (1918-2013), passaram a usar o mesmo tipo de chapéu criado pelo mestre hindu. Lech Walessa (1943), ativista polonês dos direitos humanos, e Dalai Lama (1935), monge tibetano ganhador do Prêmio Nobel da Paz em 1989, também usam um chapéu branco feito de papel dobrado que simboliza a paz.

CHARLES DARWIN

Outro incrível personagem da história que tinha o próprio chapéu mágico era Charles Darwin (1809--1882). Aposto que você já ouviu falar dele!

O chapéu de Darwin era bem pesado, dele crescia um *bonsai* (uma árvore em miniatura) cujas raízes desciam por dentro do chapéu e tocavam sua cabeça, ajudando-o a decifrar e a compreender melhor a evolução da humanidade, além de conferir ao cientista um incrível poder de pesquisa. Foi com esse chapéu que Darwin desenvolveu a sua teoria mais famosa: a teoria da evolução das espécies.

Sua inseparável companheira, Filomena, a tartaruga, gostava de cochilar debaixo do chapéu quando Charles não o estava usando. Nessa hora, a sabedoria ancestral de Filomena emanava para o chapéu, deixando-o ainda mais poderoso!

SÓCRATES

Já os chapéus criados para estimular o pensamento livre e incrementar a capacidade de oratória são confeccionados desde a Grécia Antiga. Sócrates foi um dos primeiros a usar um modelo desses.

Conhecido como o principal fundador da filosofia ocidental, Sócrates, que viveu há cerca de 2.500 anos, é até hoje uma figura enigmática. Ele não deixou nada escrito, e seus ensinamentos só foram conhecidos por meio de relatos de pensadores que viveram na mesma época, especialmente dois de seus alunos: Platão e Xenofonte.

Mas uma coisa é certa: para pensar profundamente sobre a humanidade, a lógica das coisas e o sentido da vida, Sócrates vestia seu chapéu-turbante, que fazia os seus pensamentos borbulharem, como se estivessem num imenso caldeirão de poções mágicas, dessas que fazem a gente repensar nossa visão de mundo.

Foi o que aconteceu com a Alice, quando estava no País das Maravilhas, segundo me contou o Chapeleiro Maluco.

CHAPEUZINHO VERMELHO

Ainda não acredita na Teoria do Chapéu?

Pense bem: como você acha que a Chapeuzinho Vermelho conseguiu encontrar o lobo na floresta e não ser imediatamente devorada por ele? Aquele chapéu-manto, muito usado na Idade Média, tinha poderes incríveis de proteção. O problema começou quando a menina tirou o chapéu para entrar na casa da vovó...

UM POUCO DA HISTÓRIA DO CHAPÉU

A palavra chapéu, do latim antigo *cappa*, *capucho*, significa "peça usada para cobrir a cabeça". As primeiras modalidades de peças de proteção para a cabeça surgiram por volta do ano 4000 a.C. no Antigo Egito, na Babilônia e na Grécia, quando o uso de faixas na cabeça tinha a finalidade de prender e proteger os cabelos.

Mais tarde, surgiram os turbantes, as tiaras e as coroas, usados por nobres, sacerdotes e guerreiros como símbolo de *status* social.

Até hoje, chapéus também são usados como demarcação social ou profissional de pessoas que desempenham determinadas funções (soldados, marinheiros, eclesiásticos etc.).

O primeiro chapéu usado de que se tem notícia foi o “pétaso”, por volta do ano 2000 a.C. Era um chapéu dotado de copa baixa e abas largas que os gregos usavam em suas viagens como forma de proteção. Eram práticos e ajustáveis, podendo ser retirados com facilidade, tendo perdurado na Europa por toda a Idade Média (de 476 a 1453).

Na Antiga Roma (por volta do ano 1000 a.C.), os escravos eram proibidos de usar chapéus. Quando ganhavam a liberdade, passavam a adotar uma

espécie de chapéu semelhante ao barrete (boné em forma de cone, com a ponta caída para um lado), em sinal de liberdade. Esse tipo de chapéu voltou a ser usado durante a Revolução Francesa (final do século XVIII), chamado de *bonnet rouge*, e se tornou um símbolo do partido republicano.

Outro chapéu bastante parecido com o barrete foi o capuz, unido ou não a um manto, amplamente usado na Idade Média. (Você se lembra da Chapeuzinho Vermelho?)

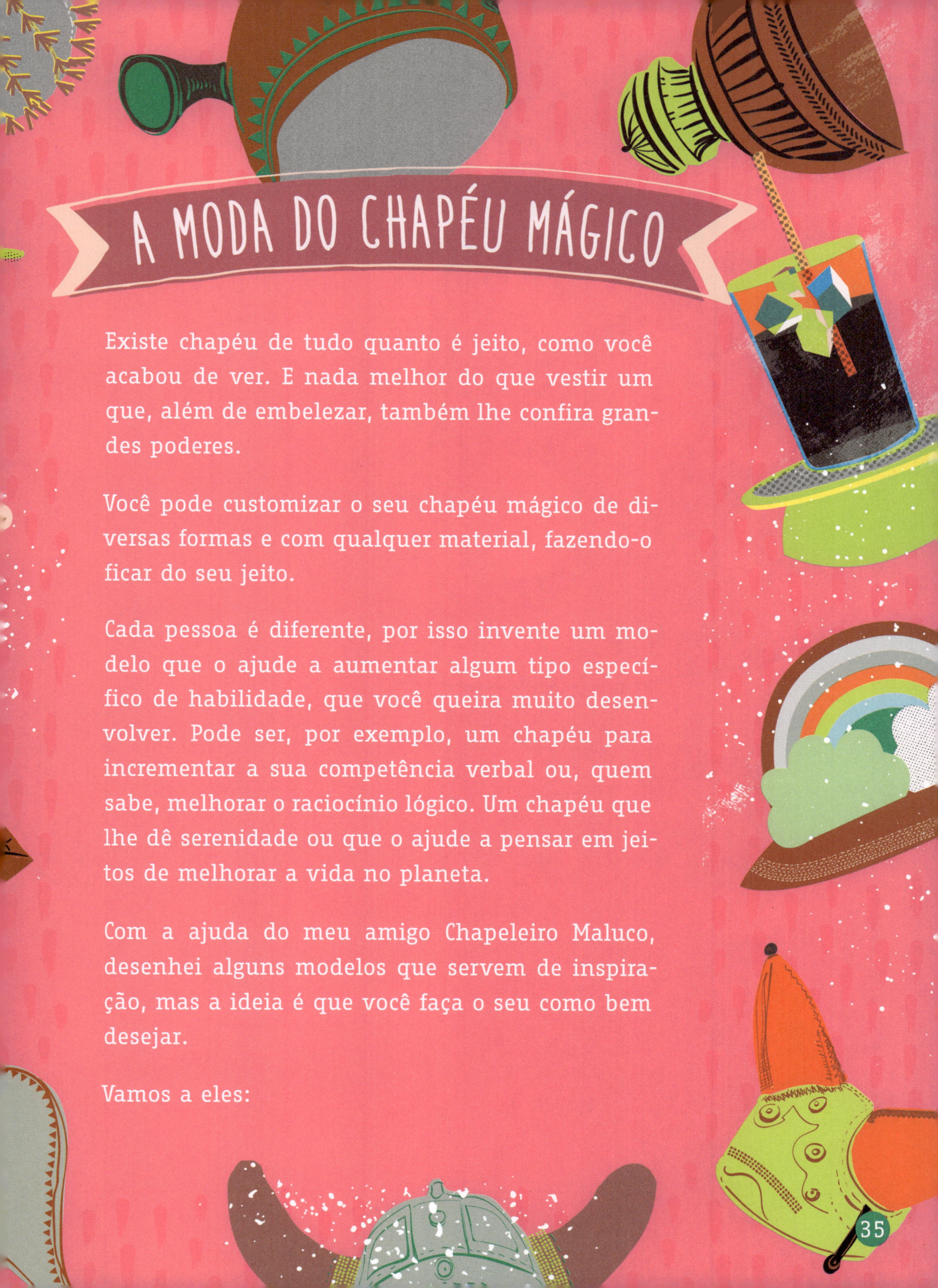

A MODA DO CHAPÉU MÁGICO

Existe chapéu de tudo quanto é jeito, como você acabou de ver. E nada melhor do que vestir um que, além de embelezar, também lhe confira grandes poderes.

Você pode customizar o seu chapéu mágico de diversas formas e com qualquer material, fazendo-o ficar do seu jeito.

Cada pessoa é diferente, por isso invente um modelo que o ajude a aumentar algum tipo específico de habilidade, que você queira muito desenvolver. Pode ser, por exemplo, um chapéu para incrementar a sua competência verbal ou, quem sabe, melhorar o raciocínio lógico. Um chapéu que lhe dê serenidade ou que o ajude a pensar em jeitos de melhorar a vida no planeta.

Com a ajuda do meu amigo Chapeleiro Maluco, desenhei alguns modelos que servem de inspiração, mas a ideia é que você faça o seu como bem desejar.

Vamos a eles:

CHAPÉU-LÂMPADA

Esse é fácil de entender. As lâmpadas acesas trazem muitas novas ideias para quem o está vestindo. Esse modelo de chapéu existe desde os tempos das primeiras histórias em quadrinhos, em que os personagens pensantes sempre tinham lampadinhas desenhadas para indicar novas ideias. É um verdadeiro clássico, que nunca sai de moda.

CHAPÉU-NUMÉRICO

O chapéu-numérico foi criado especialmente para aquelas pessoas que, como eu, têm dificuldade em fazer contas e lidar com cifras; mas também para quem deseja calcular com precisão e rapidez e resolver todos os problemas de matemática. Isso sem contar que o modelo "touca com números" é muito fofo, você não acha?

CHAPÉU-CORAÇÃO

Esse é um modelo ideal para os românticos, que se derretem à toa, ou justamente para os seus opostos, os que têm o coração duro, difícil de ser aquecido. Repare que esse modelo original tem um grande coração dividido em duas partes iguais, cada uma num tom diferente. É um modelito para os radicais, criado especialmente para equilibrar as emoções.

CHAPÉU-NATUREZA

Esse chapéu é um charme! Cheio de plantas, folhas e flores variadas, ele compõe uma miniatura de jardim em sua cabeça. Não é um luxo? Ainda por cima, ajuda a refinar a inteligência ecológica. Toda vez que se olhar no espelho, você irá se lembrar de quão preciosa é a mãe-natureza.

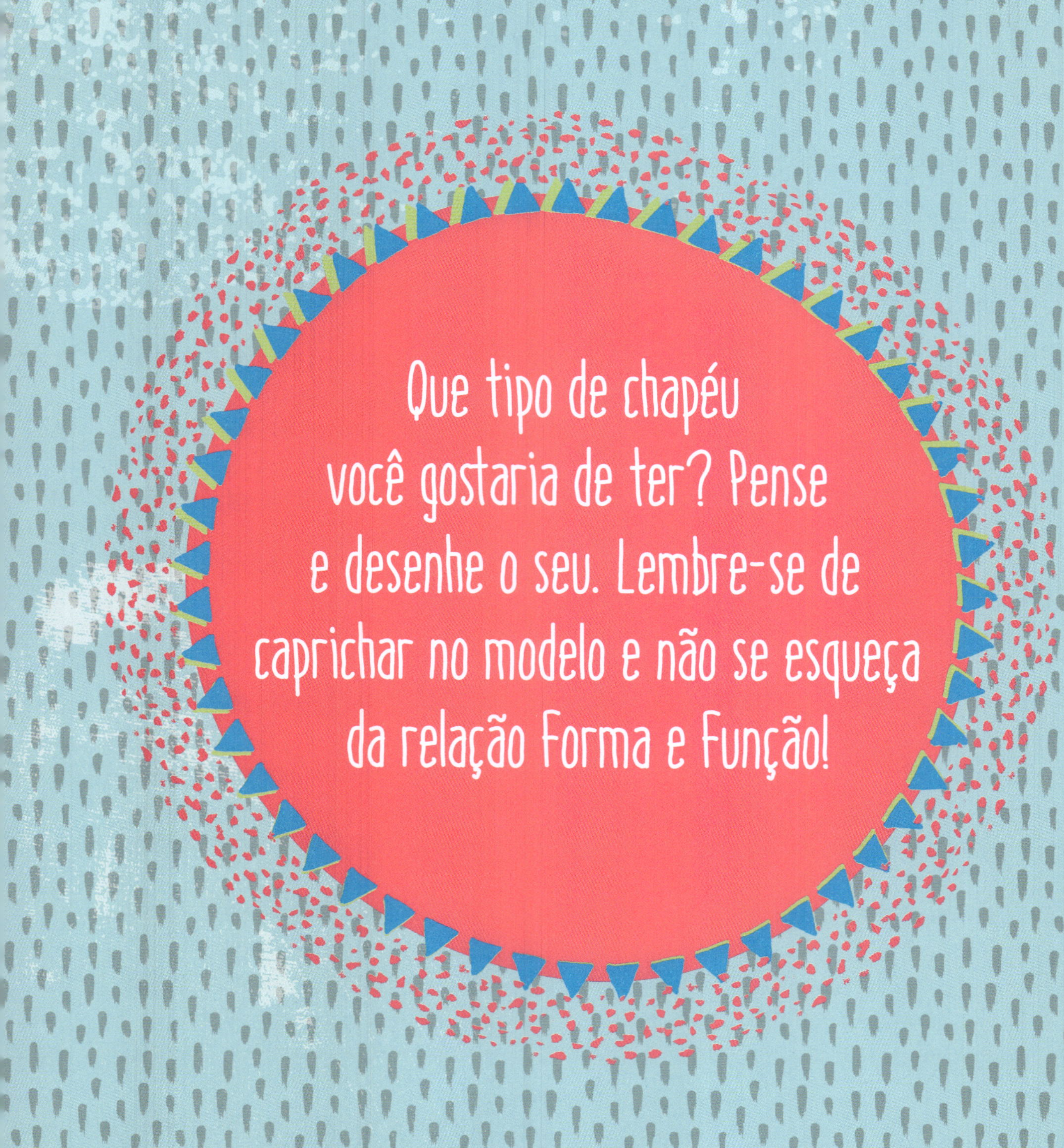

Que tipo de chapéu
você gostaria de ter? Pense
e desenhe o seu. Lembre-se de
caprichar no modelo e não se esqueça
da relação Forma e Função!

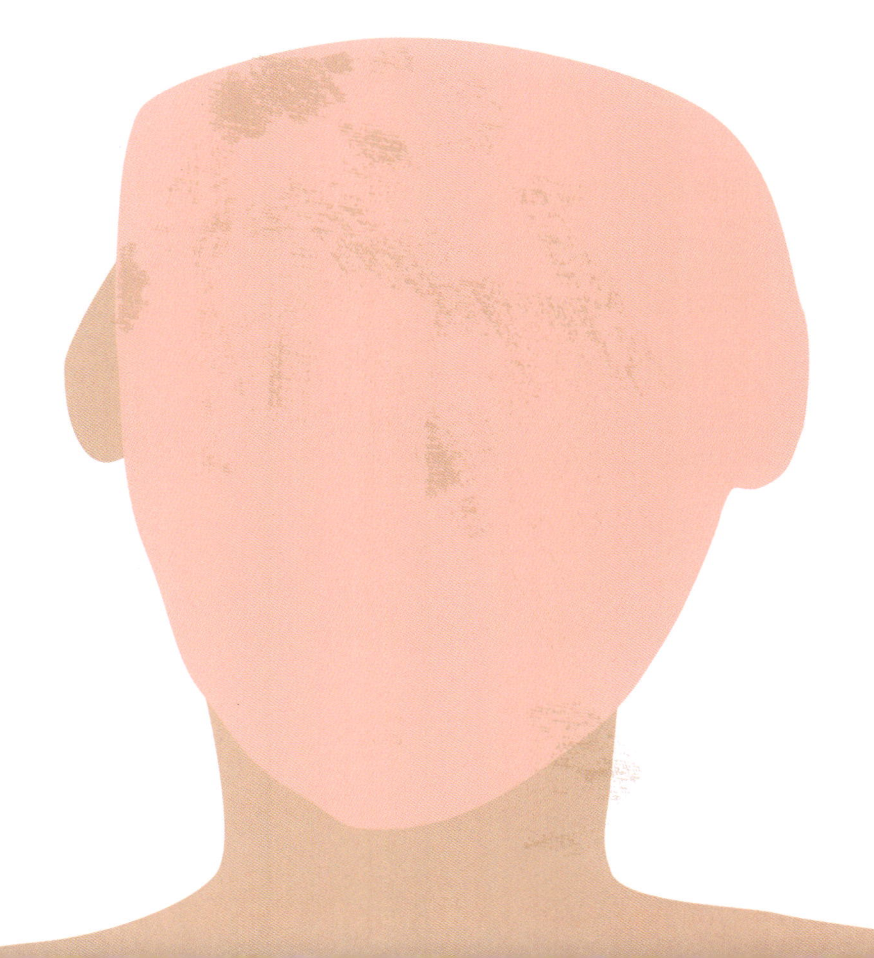

Quando eu era pequena, me sentia diferente das outras crianças. Eu era bem tímida e, em vez de sair e me divertir com os colegas de escola, preferia ficar em casa, ouvindo a minha tia Cecília contar histórias. Com o passar do tempo, a timidez foi desaparecendo (um pouco ainda ficou), mas o gosto pelas histórias permaneceu firme. Tudo, para mim, dava uma história. Um dia, eu me peguei olhando para a cabeleleira de Albert Einstein numa foto e achei aquilo engraçado e curioso. Com tanta genialidade, ele só podia ter um chapéu especial! E foi assim que este livro nasceu. No fim, descobri que eu também tinha um chapéu especial: o chapéu-história!

Sou a Lais, a ilustradora deste livro. Cresci em São Paulo, cidade grande. Desenho desde que me conheço por gente. Acho que comecei a desenhar quando tinha três anos. Ficava quietinha desenhando os cachorros, as bonecas, os carrinhos e, depois, os irmãos e amigos. Por ter essa mania, ganhei o apelido de avoada. Depois, adolescente, comecei a fotografar. E não parei mais de desenhar e de fotografar. Acreditem ou não, quando comecei a desenhar este livro, descobri que eu tinha mesmo era um chapéu-artista, desses que fazem a gente olhar o mundo de outra forma. Você já experimentou um chapéu assim?

Em novembro de 2018, a equipe da Carochinha teve que contar com a ajuda de seus chapéus de criatividade e imaginação para compor este livro.